algar
editorial

Existen unas *Propuestas didácticas* referidas a este libro que se pueden descargar de forma gratuita desde la página web www.algareditorial.com.

¡Ah! y puedes decirle a la autora lo que te ha parecido su libro mandándole un e-mail: porfavorsonria@gmail.com

PAPEL ECOLÓGICO
TCF LIBRE DE CLORO

FOTOCOPIAR LIBROS
NO ES LEGAL

LIBRO AMIGO DE LOS BOSQUES
PAPEL PROCEDENTE DE FUENTES RESPONSABLES

© Susana Rico Calleja, 2014
© Dibujos: David Guirao Tarazona, 2014
© Algar Editorial
    Apartado de correos 225 - 46600 Alzira
    www.algareditorial.com
Diseño de la colección: Enric Solbes
Impresión: Romanyà - Valls

1.ª edición: febrero, 2014
ISBN: 978-84-9845-605-9
Depósito legal: V-239-2014

algar

COLECCIÓN
CALCETÍN

# Las travesuras de Fito

**Susana Rico**

Dibujos de
**David Guirao**

## algar
editorial

*Para Miguel Díaz López-Brea,*
*un bichillo gracioso y alegre*
*que inspiró una de las travesuras de Fito*

## Fito y el chicle

Fito llevaba mucho tiempo esperando este momento. Habían transcurrido meses, o incluso puede que también un año entero, desde que guardó su primera moneda. ¡Y por fin el gran día había llegado!

Fito cogió su dragón hucha, en la que no cabía un céntimo más, y salió a la calle más feliz que unas castañuelas. ¡Por fin iba a hacer realidad uno de sus sueños! ¡Uno, porque Fito tenía muchos!

Una vez en la calle, se dirigió a la tienda de chuches más cercana y le dio su dragón hucha a la dependienta.

—¡Quiero chicles! —dijo Fito.

—¿Cuántos quieres, majo? —preguntó la tendera.

—Toda la hucha.

—¿Toda? Pero aquí hay mucho dinero.

—Toda —insistió Fito.

—¿Estás seguro?

—Sí. Voy a masticar el chicle más grande del mundo —añadió Fito, revelando ese sueño que quería ver cumplido enseguida.

—Está bien —aceptó la dependienta encogiéndose de hombros.

Vació la hucha sobre el mostrador y empezó a contar el dinero. Después de una larga hora, la dependienta miró a Fito con los ojos muy abiertos.

—¡No sé si vas a poder con todo! —exclamó.

—Sí, podré —atajó Fito rotundo.

—Muy bien —dijo la dependienta.

Cogió una caja de chicles de fresa y empezó a meterlos a puñados en un saco. Cuando la caja de chicles de fresa quedó vacía, cogió la de los chicles de menta y repitió la operación. Después cogió la de los chicles de sandía, luego la de los de melón, los de frambuesa, de mora, chocolate, limón, canela, tarta de queso, naranja. Y, cuando estos se terminaron, siguió con los de pastel de calabaza, los de pepinillo, de anís, vainilla, crema de cacahuete, chorizo… Así hasta llenar un enorme saco más grande que Fito.

—Toma, muchacho —señaló la dependienta, arrastrando el saco por el suelo. Pesaba tanto que apenas podía levantarlo.

Fito le dio las gracias y empezó a tirar del saco.

¡Uf! ¡Cómo pesaba! Pero entonces se le ocurrió una idea. Desenvolvió unos cuantos chicles y se los metió en la boca. Tiró de nuevo, pero aún no podía con el saco. Desenvolvió unos cuantos más y volvió a hacerlos desaparecer dentro de su boca. Ahora pesaba bastante menos y, con un poco de esfuerzo, pudo arrastrar el saco hasta la calle.

Mientras caminaba hacia su casa, fue desenvolviendo más y más chicles para aligerar la carga. El saco cada vez pesaba menos, pero su boca cada vez estaba más llena de chicle. Cuando llegó a su portal, el saco estaba casi por la mitad y la boca de Fito tan llena de chicle que apenas podía masticar.

–¿Se puede saber de dónde vienes? Sabes que no me gusta que te vayas solo a la calle.

¿Por qué no me has avisado al menos? ¿Qué es lo que has estado haciendo? –preguntó su madre cuando le abrió la puerta. Ni siquiera se había dado cuenta de que había salido de casa.

Fito abrió la boca, pero, en lugar de palabras, le salió una pompa de chicle.

–¿Quién te ha dado todos esos chicles? –preguntó otra vez su madre.

Fito se sacó el chicle de la boca y respondió:

–Me los he comprado yo con mi dinero.

Su madre se llevó las manos a la cabeza.

–¿Qué dinero, Fito?

–Mis ahorros.

–¡Fito! ¿Qué has hecho? ¿Te has gastado todos tus ahorros en chicles? –voceó su madre.

–Tú me dijiste que podía comprarme lo que quisiera, mamá.

—Fito, yo te dije que… —Y de pronto se calló. Su hijo tenía razón, pero no esperaba que…

Y entonces respiró hondo unas cuantas veces antes de replicar:

—Al menos darás un chicle a tus hermanos, ¿no?

Fito los miró de uno en uno. Si daba un chicle a cada uno de sus hermanos, se quedaría con cinco chicles menos.

—Ni hablar —respondió después de sacarse el enorme chicle que tenía en la boca. Y luego se lo volvió a meter.

—Fito —insistió su madre—, tienes que ser generoso. Haz el favor de dar un chicle a tus hermanos. Tienes un montón.

Fito cerró los ojos y movió la cabeza de un lado a otro.

—No, son míos —dijo cuando pudo hablar—. Me los he comprado yo con mi dinero.

Entonces su madre puso los brazos en jarras y lo miró con la frente arrugada.

—¡Fito, que des un chicle a tus hermanos!

Fito desenvolvió un nuevo chicle, en esta ocasión de kikos, que crujía al masticarlo, y se lo echó a la boca. Luego negó.

La madre de Fito arrugó aún más la frente y además le apuntó con un dedo amenazador.

—¡Fito! ¡Da ahora mismo un chicle a tus hermanos o te los quito!

Fito miró a su hermano Jaime, a su hermana Cristi, a su hermano Néstor, a su hermano Bruno, a la pequeña Alicia y luego miró el saco. Al verlo, frunció el ceño. El saco ya estaba por debajo de la mitad. ¿Qué hacer? Cinco chicles menos eran muchos chicles.

—¡Aaayyy! —suspiró Fito resignado.

Y entonces metió la mano dentro del saco y cogió un chicle, cogió dos, cogió tres, cogió

cuatro y cogió cinco. Y los desenvolvió uno por uno. Alargó la mano con los cinco chicles en la palma. Pero cuando sus hermanos estaban a punto de cogerlos, se los metió corriendo en la boca.

—Ja, ja, ja —se tronchó Fito.

Pero su madre no estaba tan contenta.

—¡Fitooo! —chilló esta.

No obstante, Fito ya estaba soplando con fervor para hacer la pompa más grande del mundo. Fito sopló y sopló y sopló. Y Fito siguió soplando y soplando y soplando…

…hasta que…

¡¡¡BOOOMMM!!!

La pompa de chicle explotó.

—¡Guauuu! —exclamó Fito—. ¡Qué alucine!
—Había sido la pompa de chicle más grande que había hecho. Y puede que también fuese la pompa más grande del mundo.

Pero entonces Fito miró las paredes y los muebles de su cuarto. Miró la ventana, las cortinas y el edredón de su cama, y Fito enmudeció. ¡Ooops! Su madre lo iba a matar.

—¡Fitooo! —gritó esta hecha un energúmeno. Tenía chicle hasta en la ropa interior.

Antes de decir nada, Fito posó la mirada en su hermano Jaime, en su hermana Cristi, en su hermano Néstor, en su hermano Bruno y en la pequeña Alicia. También ellos estaban llenos de chicle.

—Yo solo he cumplido tus órdenes, mamá —se atrevió a decir Fito seriamente—. He dado chicle a mis hermanos.

## Fito y la caja de saltamontes

Fito y su familia llevaban unos cuantos días en la casa de los abuelos. Quince, para ser exactos. Y sus padres estaban sorprendidos porque de momento no había hecho ninguna trastada. Claro que eso pronto iba a cambiar.

Los abuelos de Fito eran granjeros. Vivían en el campo y tenían un montón de animales: unas cuantas vacas, unos cerdos, gallinas, dos caballos, una oca, tres perros, un gato y un par de miles de abejas, de las que obtenían una miel exquisita.

A Fito le gustaba la miel, pero no las abejas. Las avispas tampoco. Las arañas sí, pero es porque nunca le había picado ninguna. En realidad a Fito le gustaban todos los animales, ya fuesen grandes o pequeños, menos los que tuvieran aguijón.

Por el contrario, tía Ángela odiaba toda clase de bichos. Tanto los grandes como los pequeños; sobre todo los pequeños.

Cada vez que Fito se acercaba a ella con un ratón o una rana, tía Ángela huía despavorida. Y Fito no lo podía entender. A él le gustaban tanto…

Aquella mañana, mientras tomaba el desayuno, oyó algo en la radio que le llamó la atención.

—¿Qué es eso, abuela? —preguntó.

—¿El qué, cielito?

—Eso que han dicho de la higofobla.

—Hidrofobia —lo corrigió su abuela.

—Sí, eso.

—Pues es fobia al agua —repuso su abuela.

—¿Qué?

—Es una enfermedad que sufren algunas personas a las que les da miedo el agua.

Fito soltó una carcajada porque no podía imaginárselo.

—¿Y qué beben? —continuó Fito.

—El agua así en un vaso no les da miedo. Es cuando la ven en un lago, en el mar, en el río.

—Pues a mí no me da miedo.

—Es que tú eres muy valiente —repuso su abuela.

—Las olas del mar me dan un poco de miedo, pero solo un poco —le explicó Fito.

—Eso es normal. Pero ¿sabes cómo se quita ese miedo?

Fito negó.

—Pues yendo más veces a la playa y metiéndote en el mar. Es la única manera.

Fito se acordó entonces de su tía Ángela. Si le daban miedo los bichos, tal vez… Tal vez hubiera un modo de curarla.

Y en cuanto terminó de desayunar, Fito fue a ver a su abuelo para pedirle una caja vacía.

—¿Para qué la quieres? —quiso saber el anciano.

—Para curar a tía Ángela —fue la respuesta de Fito.

El abuelo se encogió de hombros.

—Toma, aquí tienes —le dijo entregándole una caja de zapatos vacía—. Pero no hagas ninguna gamberrada.

—Que no, abuelo, te lo prometo.

Y Fito salió de casa de sus abuelos cargado de buenas intenciones. Al llegar a la pradera se detuvo un momento a reflexionar. Para curar a tía Ángela necesitaba bichos graciosos.

A él los que más le gustaban eran las cochinillas. Le divertía la manera que tenían de convertirse en una bola. Parecían plomillos para pescar.

Las mariquitas también estaban bien. A todo el mundo le gustaban las mariquitas, menos a tía Ángela, claro. Pero lo malo de las mariquitas es que volaban y podrían escaparse. No, las mariquitas no le servían.

¿Escarabajos? ¿Gusanos? Estaba barajando esas dos posibilidades cuando un saltamontes saltó a su zapato.

¡Saltamontes, por supuesto! ¡Y encima había un montón por los alrededores!

Juntó las dos manos y se precipitó sobre el insecto, pero este consiguió huir. No obstante, el segundo que se cruzó en su camino no tuvo la misma suerte. Tampoco el tercero, ni el cuarto.

Y a media mañana, ya tenía una caja llena de saltamontes. Sin embargo, aún no le parecía suficiente. Hizo unos cuantos agujeros para que los insectos pudieran respirar y fue en busca de su abuelo.

—¿Otra caja? —preguntó este.

—Sí —respondió Fito.

—Bueno, vamos a ver qué encuentro por ahí —dijo el abuelo. Y al ratillo volvía junto a su nieto con otra caja vacía.

Fito se hizo con ella y echó a correr.

—¡Eh, Fito!

El niño se dio media vuelta.

—¿Qué?

—Nada de travesuras —le advirtió su abuelo.

—¡No! —exclamó Fito, y se alejó de él a gran velocidad.

Después de comer, siguió cazando saltamontes. Estuvo toda la tarde. Y a la hora de la cena ya contaba con tres cajas llenas.

Fito regresó a casa de sus abuelos con las tres cajas. Nadie le preguntó qué llevaba en ellas. Y tampoco nadie lo vio colarse en el cuarto de su tía Ángela.

Levantó ligeramente las mantas por un lado de la cama y metió una caja de saltamontes. La destapó y volcó los insectos entre las sábanas. Fito rio porque los bichos le hacían cosquillas en las manos y los brazos. Cogió la segunda caja y repitió la operación, y lo mismo hizo con la tercera.

Alguno había logrado saltar antes de volver a tapar el hueco que había levantado, pero no le

importó. Había muchos. Tantos que tuvo que inventarse los números para poder contarlos.

Fito cenó deprisa porque estaba nervioso. Pero sus padres no le dejaron quedarse levantado hasta tarde como él esperaba.

—No puedo dormirme todavía. Quiero ver cómo tía Ángela se cura —protestó Fito.

Su madre no entendió aquello y se limitó a señalar la puerta de su cuarto con el dedo índice.

No había nada que hacer. Su madre era tan cabezota… Fito apretó la boca y echó a andar hacia el dormitorio.

Intentó mantenerse despierto, pero los ojos se le cerraron enseguida, igual que a su hermano Jaime. Al pobre Fito, la tarea de cazar saltamontes lo había dejado exhausto.

Los dos hermanos dormían en la misma cama. Y en la de al lado lo hacían Cristi y

Néstor, los siguientes por edad. Bruno y Alicia, los más pequeños, dormían en la habitación de al lado, con sus padres.

Fito soñó con su tía Ángela. Que esta se curaba después de ver los saltamontes en su cama. Que dejaba de tener miedo a los bichos, y todo gracias a él. Que su tía lo llenaba de besos y abrazos y luego se iban juntos a cazar lagartijas.

Y estaba en lo mejor del sueño, cuando, de repente, un grito desgarrador lo despertó.

—¡¡¡Aaa!!! —Era tía Ángela.

Fito se incorporó de un salto, con los ojos como balones, y escuchó con atención. No sabía lo que había ocurrido, pero algo le decía que su plan había fallado.

Tras ese primer grito, vinieron más. Era como si la familia entera se hubiese vuelto loca de pronto.

Y en eso se oyó un nuevo chillido, mucho más aterrador que el primero, que hizo temblar las paredes.

—¡Fitooo! —Esta vez era su madre.

Ahora sí que no entendía nada. Si para perder el miedo a las olas había que meterse en el mar, para no tener miedo a los bichos…

## Fito y la Operación Bocadillo

—Mañana tenemos la Operación Boca-dillo —anunció la señorita Milagros—. Os voy a repartir estos papelitos para que se los deis a vuestros papás. No se os va a olvidar, ¿verdad?

—No, seño —respondieron todos los alum-nos a coro.

Y la señorita Milagros comenzó a repar-tirlos a todos los alumnos.

En cuanto Fito cogió su papelito, leyó el enunciado.

—O-pe-ra-ción-Bo-ca-di-llo —dijo en voz alta.

Y había más cosas escritas, pero el resto de las letras eran demasiado pequeñas para él. De todos modos, ya no necesitaba tener más datos para saber en qué consistía eso de la Operación Bocadillo.

En cuanto Fito llegó a casa, se puso manos a la obra. Eso de operar, aunque fuese un bocadillo, no era cosa fácil y había que prepararse a conciencia.

Lo primero que hizo fue llamar a su hermano Jaime para que le ayudara. Todos los *operadores*, así llamaba Fito a los cirujanos, tenían sus ayudantes.

Lo segundo, conseguir pan. Sin pan no se podía operar un bocadillo.

Y para ir a buscar esto mandó a su hermano Jaime.

—Trae un bollito de esos que usa mamá para la merienda.

Su hermano asintió. Él también estaba entusiasmado con la idea de operar un bocadillo.

Y así, mientras Jaime iba en busca del pan, Fito abrió el cajón de los cubiertos y sacó tres cuchillos. Observó los tres con atención, como un carnicero experto. Al final se decidió por uno de sierra grande y unas tijeras.

Los dos hermanos se reunieron en el cuarto de baño. Fito, además, había cogido unas servilletas de tela para taparse la boca. Luego hurgó en el neceser de su madre y extrajo un gorro de baño. Se lo puso. No había más, así que Jaime tuvo que conformarse con el gorro de piscina.

Ataviados con el gorro, la bata del colegio y la servilleta atada a la nuca, asintieron satisfechos frente al espejo.

Ahora venía lo más difícil. Alcanzar el neceser que estaba en el estante más alto del armario. Para ello tendrían que subirse encima de la banqueta. Lo hizo Fito, por supuesto, que para eso era el mayor.

Le costó un poco, pero al final lo logró con ayuda de su hermano. Después se puso de puntillas y estiró el brazo todo lo que pudo. Lo que necesitaba era un estuche grande de color rojo. Lo estaba rozando con la yema de los dedos, pero no conseguía que se moviera de su sitio.

–Cuchillo –pidió entonces Fito.

Su hermano se lo pasó y Fito estiró de nuevo el brazo con el cuchillo en la mano. La punta afilada rozó el neceser y este se desplazó unos milímetros. Y…

¡Cataplum!, hizo de pronto el neceser en la cabeza de Jaime. Y Jaime rompió a llorar.

Fito le miró la cabeza. A su hermano le había salido un chichón enorme.

—Lo más seguro es que también te lo tenga que operar —le advirtió Fito.

—¡No! —exclamó Jaime lloroso—. ¡Ni hablar!

Y su hermano le dio un beso en la frente para que dejara de dolerle el chichón.

Jaime se limpió los mocos con la manga de la bata y Fito colocó el bollito sobre la banqueta.

—¿Qué le vamos a operar? —preguntó Jaime.

—Vamos a ponerle un cerebro —repuso Fito.

—¿Qué *celebro*?

Su hermano tenía razón. No tenían ningún cerebro que ponerle al bocadillo.

–¡Ven! –le pidió Fito mientras lo guardaba todo en una bolsa dentro del armario.

Y los dos hermanos se dirigieron a la cocina.

Fito arrastró una silla junto a la nevera y la abrió. Encontró leche de soja, yogures vegetales, tofu, hamburguesas de mijo, una col, tres lechugas, zanahorias, pimientos, tomates y muchas hierbas raras, pero nada de cerebros.

Sin embargo, aún le quedaba una bandeja por mirar. Y en esa bandeja Fito vio una tarterita transparente que…

–¡Aquí está! –saltó Fito tras abrir la tartera. Y le mostró el contenido a su hermano.

–¡Puagh! –exclamó Jaime al ver la carne picada.

–Ahora solo nos hace falta el *blandi blub*.

Jaime fue a buscarlo, y de nuevo se encerraron en el cuarto de baño. Sacaron lo que habían guardado en el armario y volvieron a poner el pan sobre la banqueta. Fito destapó el bote de alcohol, lo cogió con ambas manos bocabajo y lo apretó con fuerza sobre el bollito.

—Tengo que cortar el pan —señaló.

Y colocó el bollito de canto, como había visto hacer a su madre muchas veces. Sin embargo, no resultaba tan fácil en la práctica y a punto estuvo de rebanarse un dedo.

Ahora que tenían el pan como un libro abierto, Fito volvió a rociarlo con alcohol. Luego extrajo la carne picada de la tartera y la puso en el suelo. Sobre ella vertió el *blandi blub* y los dos hermanos se pusieron a amasar la mezcla.

—Para —ordenó Fito.

Y por un momento se quedó observando la pasta marrón verdosa que habían preparado. ¡Era perfecta! ¡Eso sí que era un cerebro!

—Ya está —anunció Fito.

Y llevó la pasta viscosa y sanguinolenta a una de las rebanadas del bollito. Pero antes de cerrar el bocadillo había que acabar con todos los gérmenes. Para ello vertió un poco de mercromina por todo el pan y también sobre la masa.

Eso lo había aprendido de su madre, de tantas veces como había tenido que curarle las rodillas.

¡Listo! ¡El bocadillo ya tenía cerebro! ¡La operación había resultado un éxito!

Ahora que el bocadillo ya estaba operado, lo único que quedaba era unir las dos tapas del pan. Jaime pasó el esparadrapo a su hermano en cuanto este se lo pidió. Fito estiró un trozo, lo cortó con las tijeras y lo pegó en el bollito uniendo ambas tapas. E hizo lo mismo con unos cuantos trozos más. Para acabar, envolvieron el bocadillo en una gasa esterilizada y después en un trozo de papel de aluminio.

La Operación Bocadillo había terminado.

Por la mañana, Fito se levantó de un salto. Y, mientras se vestía a toda velocidad, su madre empezó a prepararle la mochila para ir al colegio.

—¡Fito! ¿Por qué no me has dicho nada de esto? —preguntó con el papelito de la Operación Bocadillo en las manos—. Te habría comprado algo para hacerte un bocadillo especial. Seguro que a tus amigos les habría encantado un bocadillo de lombarda.

¡De lombarda! ¡Puagh, qué asco!

Fito le enseñó el bocadillo a su madre.

—Ya está listo. Lo he hecho yo.

–¿Y tú solo has cortado el pan y todo? –Fito asintió–. Pues otro día me avisas, que no me gusta veros con cuchillos. ¡Ay mi niño, que se está haciendo ya un hombrecito! ¡Preocuparse uno de sus cosas es algo muy responsable! –exclamó su madre toda orgullosa, y empezó a llenarlo de besos.

Aquello era una buena señal. Estaba claro que Fito se había portado muy bien.

–¿De qué te lo has hecho? Tenías varias cosas en la nevera.

–De cerebros –respondió Fito.

–¡Ay qué imaginación tiene mi tesoro! –exclamó su madre.

De camino al colegio, Fito se encontró con Pancho.

–¿Traes el bocadillo? –le preguntó su amigo.

–Sí –repuso Fito sonriente.

—¿Qué le has puesto?

—Cerebros.

—¡Qué guay! —replicó Pancho—. Ojalá me toque a mí tu bocadillo.

Pronto se corrió la voz de que el bocadillo de Fito era muy especial. Y todos los niños de la clase querían cambiárselo.

—¿Qué barullo es este? —quiso saber la señorita Milagros.

Los alumnos se habían arremolinado alrededor de Fito y trataban de cogerle el bocadillo.

—¡Parad! ¡Estaos quietos! —ordenó la maestra.

El alboroto cesó y la señorita Milagros mandó a sus alumnos que se sentaran a sus mesas.

Cuando sonó el timbre del recreo, la señorita Milagros mandó recoger los libros.

—Ha llegado la hora de la Operación Bocadillo –anunció–. Ya podéis cambiar vuestro almuerzo con el del compañero que tenéis al lado.

Pero de nuevo comenzó el jaleo porque todos querían el bocadillo de Fito.

—Muy bien. Pues el bocadillo de Fito me lo quedaré yo y así ya no hay más peleas.

Fito se levantó y caminó hasta la profesora con su bocadillo. Lo dejó encima de su mesa.

—He operado muy bien mi bocadillo, seño.

—Me alegro mucho, Fito. Toma, aquí tienes el mío.

Y la maestra empezó a desenvolver el bocadillo.

Mientras, Fito sonreía satisfecho. Le había gustado eso de operar. Puede que un día de estos operase a alguno de sus cinco her-

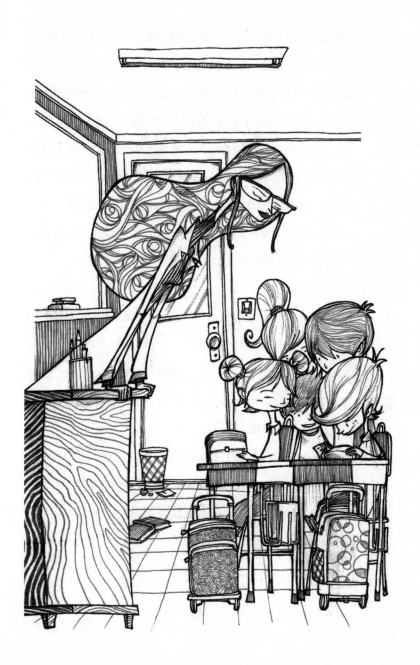

manos. O mejor a su madre. Sí, a su madre, mejor. Le cambiaría el cerebro por otro y así dejaría de ponerle esas comidas tan horribles y también de regañarlo por todo.

La señorita Milagros se llevó el pan a la boca. Tenía tanta hambre que ni siquiera reparó en la gasa esterilizada que envolvía el bocadillo.

Fito puso unos ojos como satélites y levantó un poco la mano.

—Seño, no…

Iba a decirle que no se lo comiera. Que el bocadillo estaba recién operado y que tenía un cerebro. Pero se atragantó con sus propias palabras al ver que su seño ya había dado el primer bocado.

La cara de la maestra se puso entonces verde, luego amarilla, después morada. Y antes de lograr escupir el trozo había pasado por una docena de tonos más.

La señorita Milagros dejó el bocadillo en la mesa y lo desenvolvió entero. Quitó el papel de aluminio y la gasa esterilizada. Sus ojos como pozos se posaron en los trozos de esparadrapo a través de las gafas.

—¿Qué es esto? —murmuró.

Y separó las tapas de pan.

—¡Fitooo! —gritó la señorita Milagros—. ¡¿Es que querías envenenarme?!

—No —respondió Fito muy serio—. Yo solo he operado mi bocadillo, como ponía en el papel.

## Fito va a la playa

¡Por fin había llegado el verano! ¡Por fin se habían acabado el colegio y los deberes! ¡Por fin Fito podría levantarse a la hora que le diera la gana y hacer lo que quisiera!

«¡Por fin!», pensó Fito sonriente.

«¡Qué horror!», pensó la madre de Fito, «se acabó el colegio».

«¡Qué horror!», pensó el padre de Fito, «llegaron las vacaciones».

—¿Iremos este año a casa de los abuelos, papi? —preguntó Fito con las manos juntas como si fuese a rezar.

Los padres de Fito se miraron el uno al otro, y los dos tragaron saliva.

Aún recordaban la última que había montado su hijo en casa de los abuelos. Habían pasado doce meses desde aquello de los saltamontes, pero todavía les temblaban las piernas al recordarlo.

—¡Porfa! —suplicó Fito, con cara de angelito.

Entonces su padre acercó la boca a la oreja de su madre y le susurró unas palabras en el oído.

—¡Estupendo! ¡Es una idea genial! —exclamó la madre de Fito.

—¡Iremos a la playa! —dijo su padre. Y los dos se guiñaron el ojo, convencidos de que su hijo no podría hacer ninguna trastada en la playa. Allí no había bichos.

—¡Bieeen! —gritaron al unísono Jaime, Cristi, Néstor, Bruno y la pequeña Alicia.

—Yo no quiero ir a la playa —refunfuñó Fito—. Yo quiero ir a casa de los abuelos.

Fito protestó y protestó, pero en esta ocasión no logró salirse con la suya.

Unos días más tarde se montaron todos en la furgoneta. Y después de largas horas y de muchas vomitonas, la madre de Fito detuvo el vehículo.

—¡Ya hemos llegado! —anunció.

Los hermanos de Fito bajaron raudos de la furgoneta y cogieron su equipaje, pero Fito no lo hizo tan contento. Fito odiaba la arena y también las olas.

La familia al completo dejó las cosas en la habitación del hotel y se marchó a la playa.

Los hermanos de Fito se zambulleron enseguida en el agua, pero Fito se quedó atrás. Odiaba que las chanclas se le llenaran de arena. Y si se las quitaba, entonces se quemaría los pies. La arena estaba ardiendo.

—¡Vamos, Fito! —le urgió su madre.

Al final se quitó las chanclas y echó a correr. Pero había tanta gente que apenas había espacio por donde pasar sin molestar. Fito terminó saltando por encima de las personas.

—¡Niño, que me llenas de arena! —voceó una señora cuando Fito pasó junto a ella.

—¡Ten más cuidado, niño! —dijo un señor con el que Fito estuvo a punto de chocar.

—¡Niño, que me has pisado el juanete! —gritó otro cogiéndose el pie con muecas de dolor.

—¡Como te coja, te vas a enterar! —bramó una señora a la que Fito le había tirado sin querer el bocadillo al suelo.

Cuando por fin llegó junto a los suyos, buena parte de la playa ya lo miraba con mal ojo. Y eso que nada de lo que había hecho había sido adrede.

—Ven, que te pongo crema —dijo su madre.

—No, ya me la echo yo —señaló Fito, y cogió el bote. Se lo puso delante de la cara, colocó un dedo en el botón dosificador y lo apretó.

—¡Ay, ay, ay! —berreó Fito, dando unos saltos de espanto. La crema había salido disparada y le había caído en los ojos.

Su madre agarró el cubito de agua de la pequeña Alicia y se lo echó por encima.

—¡Ay, ay, ay! —gimoteó Fito, muerto de frío. Y para colmo, sus ojos, además de crema, estaban ahora llenos de arena y sal.

—¡Ay, ay, ay! —se lamentaba Fito mientras su madre lo acompañaba hacia los servicios.

Y es que aparte de escocerle los ojos se estaba quemando los pies.

Fito terminó de lavarse la cara en el lavabo y echó a correr de nuevo hacia su sombrilla.

–¡Niño! ¡Ten más cuidado! –rugió un señor con bigote. Y es que por culpa de Fito, que había pasado por su lado como un huracán, se le había caído el peluquín.

–¡Niño! ¡Ya está bien! –bramó la señora del bocadillo a quien ahora había dejado sin postre.

Para cuando Fito llegó a su sombrilla, media playa había reparado ya en su presencia y no precisamente para bien.

–¿Quieres que hagamos un castillo? –le preguntó su madre.

¿Castillos? Hacer castillos era cosa de niños pequeños y él ya tenía siete años.

–No –repuso Fito–. Yo quiero ir a casa de los abuelos.

Su madre se encogió de hombros y empezó a inflar una pequeña piscina para Alicia.
Después la llenó de agua. Pero cuando fue a
meter a la niña, Fito ya estaba dentro.

—Fito, sal de ahí. Esta piscina es para Alicia. Tú ya eres muy mayor. Venga, báñate
en el mar con papá y tus hermanos —dijo su
madre.

—No —protestó Fito rotundo.

Y en eso Alicia empezó a llorar porque
quería meterse en la piscina, pero no había
sitio para los dos.

—Fito, he dicho que salgas de ahí.

Pero Fito siguió sin moverse.

—¡Fiiitooo!

—¡Jo, esto es un rollo! ¡Quiero irme a casa
de los abuelos! —dijo, saliendo de la piscina.

Y entonces cogió la pala de su hermano
Néstor y empezó a golpear la arena. Y se le

ocurrió que a lo mejor eso de hacer un castillo no era tan aburrido. De hecho, allí estaba su hermano Jaime construyendo uno, y parecía pasarlo la mar de bien. Y su hermano Jaime solo era un año más pequeño.

Podría hacer uno gigante. Uno mucho más grande que el de su hermano y mucho más bonito. Le pondría una muralla enorme y un foso lleno de cocodrilos y serpientes. Puede que también tarántulas y dragones.

Y… con esa idea empezó a cavar un hoyo.

Pero no había dado ni dos paladas cuando una voz a su espalda chilló:

—¡Niñooo, que me estás poniendo perdido! —No obstante, Fito no se dio por aludido y continuó con su labor.

—¡¡Niño, para!! —aulló esta vez una señora.

En eso su madre corrió hasta Fito y lo agarró del brazo.

–¡Fito! ¿No ves que estás echando la arena encima de la gente? –gritó, señalando a un matrimonio que ya estaba medio enterrado.

Pues no, Fito no se había dado cuenta, la verdad.

–Lo siento, perdonen –se disculpó su madre mostrando una gran sonrisa–. Tienes que hacerlo con cuidado, ¿lo ves? –le indicó a su hijo.

Fito frunció el ceño, a esa velocidad tardaría veinte años en hacer el foso, otros veinte para la muralla y cuarenta y cinco para levantar el castillo. Cuando lo terminase, sería ya un anciano.

Fito tiró la pala al suelo malhumorado. «¡Qué aburrimiento!», pensó, «la playa es una caca de vaca». Y al acordarse de las vacas, se acordó también de la granja de sus abuelos.

–¡Esto es un rollo! ¡Yo quiero ir con los abuelos! –gritó.

—Fito, ya lo hemos hablado muchas veces. Este año toca playa. ¿Tienes hambre? ¿Quieres comer ya? —le preguntó su madre cambiando de tema.

—Sí —respondió Fito—. Quiero un bocadillo de chorizo.

—Pues no hay de chorizo. El bocadillo es de filetes de merluza con brócoli y láminas de zanahoria —lo corrigió su madre.

¡Qué asco! ¡Puagh!

—¡Yo no quiero merluza! ¡Ni zanahoria! ¡Ni brócoli! ¡Yo quiero chorizo!

—Hay que comer sano, Fito —repuso su madre con mucha paciencia—. Mira a Jaime qué poco le queda ya.

Fito no entendía cómo su hermano podía comerse esas porquerías.

—¿Está bueno, cariño? —se interesó su madre.

—Sí —contestó el niño moviendo la cabeza de arriba abajo.

—¿Lo ves? ¡Está buenísimo!

—Pues a mí no me gusta, y además el chorizo es sano, es carne —explicó Fito.

—El chorizo no es sano —dijo su madre, y entonces decidió cambiar de estrategia—. Venga, si te lo comes entero te compro un helado.

—¿De chocolate?

—De lo que tú quieras. Te lo prometo.

—¿Y una pistola de agua?

—Ya veremos.

—¿Qué tenemos que ver? —preguntó Fito—. Yo no quiero ver nada. Tú quieres que me coma el bocadillo de *cacafuti* y yo quiero que me compres un helado de chocolate y una pistola de agua.

—¡El bocadillo no es de *cacafuti,* es de merluza con brócoli y zanahoria! Comida sana.

–Sí, lo que tú digas. ¿Me comprarás la pistola, sí o no?

–¡Venga, vale! ¡Toma el bocadillo! Enterito, ¿eh? Si no, no hay pistola.

–¡Bravooo! –dijo Fito dando un salto de alegría.

Se sentó sobre una toalla de espaldas a su madre y empezó a desenvolver el bocadillo. La verdad es que no tenía ninguna intención de comérselo, por eso había elegido aquel sitio. Desde donde estaba, ni su madre ni su hermano lo verían ir enterrando los trocitos de bocadillo en la arena.

Tenía mucha hambre. Pero el bocadillo tenía tan mala pinta que ni siquiera lo probó. Escarbó un pequeño hoyo con el pie y echó el primer bocado. Después el segundo, y lo enterró también. Y así uno tras otro.

Al cabo de un rato, Fito anunció que ya

se había terminado el bocadillo. Pero antes de acercarse a su madre masticó el último bocado unas cuantas veces y se deshizo de él. De ese modo se aseguraba de que su boca olería a aquel mejunje asqueroso y no habría modo de descubrirlo.

—¿A que no estaba tan malo? –dijo su madre.

—¡Vaya! –respondió Fito–. Estaba un poco malo, pero también un poco bueno.

—Eres todo un campeón –lo felicitó su madre, llenándolo de besos.

¡Qué fácil era hacerla feliz!, pensó Fito.

—¿Me compras el helado y la pistola?

—Tienes que esperar un poquito –señaló su madre.

—¿Cuánto es un poquito? –preguntó Fito.

—Un poquito es un momentito.

—Y un momentito ¿cuánto es? –quiso saber Fito.

—Un momentito es un momentito —respondió su madre.

Fito murmuró «un momentito» y a continuación dijo:

—Ya he esperado un momentito.

—Bueno, pues tendrás que esperar un poquito más —apuntó su madre.

—¿Cuánto es un poquito más? —preguntó Fito.

—Un poquito más es un poquito más.

Fito guardó silencio de nuevo y luego murmuró:

—Un momentito y un poquito más. —Después, en voz más alta, añadió—: Mamá, ya he esperado un momentito y un poquito más, y ahora quiero mi pistola de agua, que me he comido todo el bocadillo.

—Ya sé que te has comido el bocadillo, pero no tienes que ser tan impaciente.

—¿Qué es ser impaciente? –preguntó Fito.

—Ser impaciente es no poder esperar.

—Yo no soy impaciente, mamá. Yo sí he esperado un momentito y un poquito más, como me has dicho. Pero tú me estás mintiendo. Me has dicho que me ibas a comprar la pistola de agua, pero no me la quieres comprar. ¡Y yo quiero mi pistola de agua! ¡Y quiero mi helado! ¡Que para eso me he comido el bocadillo, que estaba malísimo! –berreó Fito con todas sus fuerzas–. ¡Mentirosa, más que mentirosa!

—No te he mentido. Y deja de llorar. ¡Mira, aquí vienen ya tu padre y tus hermanos! Venga, vamos a por la pistola.

Y Fito echó a correr por la arena hacia las tiendas del paseo marítimo. Y de nuevo se oyeron los rugidos de aquellas personas a las que Fito fue saltando por encima.

Por supuesto, se le antojó la pistola más grande que había en la tienda. La Superturbo-water X-6000. Tenía dos cañones para echar el agua y un depósito ENOOORME. ¡Era alucinante!

—Fito, ya sabes que tendrás que prestársela a tus hermanos, ¿verdad?

Fito asintió, pero para nada pensaba hacerlo y echó a correr hacia la heladería.

Naturalmente, también quería el helado más grande. Uno que tenía un cucurucho gigantesco y siete bolas, una encima de la otra. Tenía un hambre… Pero tuvo que conformarse con el más pequeño.

—¡Niño! ¿Por qué no miras por dónde vas? —preguntó un señor que se había caído de culo por culpa de Fito.

—¡Ya es la tercera vez, niño! —aulló la señora del bocadillo y el postre, a quien Fito, sin querer, le había derramado ahora un vaso de *fanta* encima.

—Perdone, lo siento —iba disculpándose su madre de regreso a la sombrilla.

Pero a mitad de camino, Fito se detuvo en seco y su madre lo adelantó.

—¡Vamos, hijo!

—¡Voy, mamá! —contestó. Fito se había parado delante de un señor que tenía una barriga tan grande como una montaña.

Su ombligo, en lo más alto, estaba como hundido y hacía que la barriga pareciese un volcán. Esta se movía acorde con la respiración del señor. De pronto subía y de pronto bajaba. Y a Fito aquello le hacía mucha gracia.

El señor estaba tumbado al sol sobre una hamaca, con la cara a la sombra de su sombrilla. Estaba rojo como una piruleta y roncaba

bastante fuerte. Fito se rio porque le recorda-
ba a un oso despellejado.

—¡Vamos, Fito! —lo llamó otra vez su madre.

Y Fito echó de nuevo a andar, pero tro-
pezó con algo y la bola de su helado resbaló
del cucurucho. Y ¡qué mala suerte! Porque el
helado fue a caer justo en el ombligo de aquel
señor que roncaba como un oso.

—¡Aaahhh! —gritó el hombre al despertar-
se.

Y de la impresión que se llevó, pegó un
bote tan grande que la hamaca se le fue para
atrás. Se le rompió el bañador por el trase-
ro y se cayó dando una voltereta encima de
sus vecinos. Estos, por el susto, también se
cayeron de sus hamacas y echaron abajo su
sombrilla y la de unos señores que había al
lado. Un montón de personas y sombrillas
terminaron patas arriba.

—¡Túúú! ¡Vándalo! —gritó el señor barrigón, señalando a Fito.

Y Fito echó a correr, pero el señor salió disparado detrás de él.

Cuando Fito llegó junto a sus padres, se tumbó y se echó una toalla por encima.

—¡¿Ese niño es hijo suyo?! —preguntó el señor jadeando. Su dedo índice señalaba el bulto de Fito y sus ojos echaban rayos.

Los padres de Fito se miraron el uno al otro y a continuación tragaron saliva. Los dos asintieron sin atreverse a decir nada.

—¡Ha sido sin querer! —exclamó Fito, asomando la cabeza por encima de la toalla.

—Fito, ¿qué has hecho? —quiso saber su madre, que se puso en pie de un salto.

Y las más de veinte personas que acababan de llegar empezaron a hablar todas a la vez y dando unas voces de miedo.

Al cabo de un sinfín de disculpas, la cosa más o menos se calmó. La gente fue regresando a sus toallas y Fito pudo salir de su escondite.

—¡Mamá, ha sido sin querer! Tropecé y se me cayó el helado encima de ese señor —aseguró Fito por enésima vez.

—¡Está bien! Pero no quiero más contratiempos, ¿me has oído? A partir de ahora quiero que te portes bien.

—Mamá, me estoy portando bien. Todavía no me he peleado con mis hermanos ni nada y me he comido todo el bocadillo.

En eso su madre tuvo que darle la razón.

—Bueno, pues ahora siéntate un ratito y estate tranquilo —le pidió su madre.

—Yo no quiero sentarme —protestó Fito—. Yo quiero jugar con mi pistola de agua.

—Después de lo ocurrido, no sé si será buena idea.

—¡Jo, mamá, pero si ha sido sin querer!

—Si el niño dice que ha sido sin querer...
—lo apoyó su padre.

—No sé.

—Porfa..., mami.

—Muy bien, pero juegas tranquilo. Sin molestar a nadie. ¿Me has oído?

—Claro, mami. Te lo prometo.

—En cuanto yo vea que te mueves más de lo normal o mojas a alguien, te la quito enseguida.

—No voy a mojar a nadie.

—Ni siquiera a tus hermanos —le advirtió su madre.

Fito desvió la mirada hacia ellos. ¡Menudo rollo si no podía mojarlos a ellos tampoco! Aun así, lo prometió.

—¿Me la llenas, mami? —preguntó Fito refiriéndose a la pistola.

—No hay olas, cielo. Son muy pequeñas, no te va a pasar nada —dijo su padre.

—Tienes que ser valiente, hijo —añadió su madre.

Pero Fito empezó a gimotear.

—Está bien —aceptó su madre, que no quería volver a llamar la atención de todo el mundo—. Dame la pistola.

La madre de Fito desenroscó el depósito y se fue a llenarlo a la orilla.

—¡Demonios! —exclamó al sentir que se le helaban los pies.

Avanzó hasta que el agua le llegó a las rodillas y se agachó para llenar la pistola. Pero en eso una ola un poco más grande que las anteriores le pasó por encima calándola hasta los huesos.

La madre de Fito salió del agua bufando como un bisonte y le dio la pistola a su hijo.

—¡To-to-ma, y-y-y no la-la-la ga-gastes a lo to-tonto porque no-no la lle-lle-lleno ma-ma-ás! —dijo, tiritando de frío.

Fito tomó la Superturbo-water X-6000, y en ese instante dejó de ser Fito. Ahora era un superagente secreto en una misión muy arriesgada. El villano doctor Klaus y todos sus hombres lo perseguían sin tregua por un terreno muy escarpado. Había muchos riscos y bajo sus pies bullía lava incandescente. Pero lo peor de todo es que entre todos lo habían acorralado.

Fito se lanzó al suelo, dio una voltereta y empezó a disparar su arma contra todos los malvados. Afortunadamente, tenía buena puntería y los malos empezaron a caer entre gritos ensordecedores. Fito les estaba dando su merecido.

Pero aún quedaban unos cuantos en pie que querían acabar con su vida. Fito volvió a

apuntar y disparó contra ellos una y otra vez. Sin embargo, los villanos debían de llevar trajes antibalas. Caían como cucarachas, pero al momento volvían a levantarse sin problemas y de nuevo iban a la carga.

El doctor Klaus era uno de esos tipos que no morían nunca. Debía de tener algún tipo de escudo protector. No obstante, Fito se había propuesto destruirlo. Se detuvo y le apuntó directamente a la frente. Esta vez sí iba a acabar con él. Le iba a freír el cerebro.

Fito disparó y dio justo en el blanco.

Sin embargo, el doctor Klaus, además de ser invencible, también debió de disparar contra él, porque de repente sintió un fuerte dolor en la oreja.

Y entonces, sin saber cómo, el villano doctor Klaus se transformó en su padre que le estaba tirando de la oreja. La lava que bullía bajo sus pies era arena recalentada por el sol y los malos que le perseguían eran solo personas en bañador caladas hasta la médula.

—¡Ya está bien! —bramó su padre, cogiéndole la pistola de agua—. ¡Mira lo que has hecho!

Y entonces Fito miró con mayor atención a su alrededor. Era como si, por la playa, hubiese pasado un ciclón. Estaba hecha un desastre. Había sombrillas tiradas en la arena y otras vueltas del revés. Las toallas hechas revoltijos. Y las personas que antes estaban sentadas sobre sus sillas ahora estaban sobre la arena patas arriba. Y naturalmente todo el mundo estaba chorreando y mirándolo con cara de pocos amigos.

—¡Fuera de aquí! —bramó una señora. Era la misma a quien Fito le había tirado el bocadillo nada más llegar. Ahora, además, le goteaba agua por el pelo y tenía la cara llena de surcos negros.

—Eso, ¡que se marchen! —la apoyó un grupito de personas.

—¡Laaargooo! —gritó el señor «Oso despellejado», chorreando agua por todas partes.

Su padre condujo a Fito hasta donde estaban su madre y sus hermanos, que se apresuraban a recoger todas las cosas.

—¡Vámonos, que nos linchan! —exclamó su padre con tono de enfado.

—¿Qué es linchar? —quiso saber Fito.

—Que nos matan, hijo.

—¿Y adónde nos vamos? —preguntó Fito casi en un susurro.

—A casa de los abuelos —respondió su madre.

Fito no dijo nada, pero sus labios esbozaron una sonrisa monumental.

¡Yiuuu! ¡Bien!

Pero en eso, su madre soltó un rugido de león:

—¡Fitooo!

¡Ooops! Su madre acababa de dar con los restos del bocadillo de merluza con brócoli y láminas de zanahoria.

Fito tragó saliva. Lo más seguro es que tuviera que despedirse para siempre de su pistola de agua, pero se iba a casa de sus abuelos, y lo demás le daba igual.

# Índice

*Las aventuras de Tachín*
de Lucía Baquedano
Dibujos de Jacobo
Fernández
ISBN: 978-84-9845-608-0
«Calcetín», 95
Serie Amarilla
A partir de 8 años

Corre el rumor de que en la buhardilla del colegio vive una bruja y, cómo no, Tachín y sus compañeros empiezan a investigar. Sin embargo, es imposible abrir la puerta. ¿Será por culpa de un maleficio?

Y esta no será su única peripecia, porque su amigo Miguel desaparece tras olvidar el cuaderno de los deberes, y encontrarlo será toda una aventura.

# Otros títulos de la colección «Calcetín»

*Pastel de moras*
de Javier Fonseca
Dibujos de Jaume Gubianas
ISBN: 978-84-9845-595-3
«Calcetín», 93
Serie Amarilla
A partir de 8 años

Esta noche viene Perico, el gato que se fue a la Luna a buscar fortuna. El abuelo de Lucía y Raquel les cuenta que cuando la luna mengua es que se ha quedado sin leche, y el gato, que vive allí, baja a por comida. Aunque no acaban de creerse la historia, las niñas serán protagonistas de una aventura tierna y deliciosa como el pastel de moras que van a prepararle a Perico.

*El país de los dragones*
de Jordi Sierra i Fabra
Dibujos de Javi García
ISBN: 978-84-9845-559-5
«Calcetín», 88
Serie Amarilla
A partir de 8 años

En un tiempo y un lugar remotos, existió un reino poblado por dragones. Eran criaturas pacíficas, pero todo cambió con la llegada de unos invasores que traían muchas armas y ningunas ganas de compartir. Intimidados por estos seres llamados humanos, ¿los dragones tendrían que recuperar las costumbres violentas de sus antepasados? Si nadie lo evitaba, la guerra sería inminente…

*El calcetín de los sueños*
de Eulàlia Canal
Dibujos de Valentí
Gubianas
ISBN: 978-84-9845-541-0
«Calcetín», 86
Serie Amarilla
A partir de 8 años

Naima espera con ilusión irse de vacaciones con sus padres, pero mamá está tan ocupada que no tiene ni un minuto libre, ni siquiera para soñar. La niña sospecha que hay un ladrón que le roba el tiempo a su madre y, con la ayuda de Timmi, su mejor amigo, trama un plan para atraparlo. Naima hará un montón de descubrimientos y un gran hallazgo: qué quiere ser de mayor.

# Otros títulos de la colección «Calcetín»

*Martina y los enredos del hada Amarilla*
de Joaquina Barba
Dibujos de Anna Clariana
ISBN: 978-84-9845-533-5
«Calcetín», 85
Serie Amarilla
A partir de 8 años

Martina no podía imaginar mejor regalo para su cumpleaños: ¡la visita de su hada madrina! Enseguida se hacen muy amigas, pero el hada no deja de hacer travesuras y mete a Martina en un lío tras otro. Quizá todo sea una pesadilla causada por el empacho de chucherías durante su fiesta de cumpleaños...

    ¿O tal vez no?